SCÈNES DE LA VIE PARENTALE

9, RUE DU CHERCHE-MIDI, 75006 PARIS

ISBN : 978-2-20725987-0 / N°ÉDITION : 52469

SCÈNES DE LA VIE PARENTALE
JEAN-PHILIPPE DELHOMME

DENOËL

Longtemps gardé par mes grands-mères, je ne suis allé à l'école qu'à l'âge de 4 ans. Pour moi qui m'imaginais (je le sais, maintenant) comme un mélange subtil de Marcel Proust et de Michel Leiris, ce fut un traumatisme. Le premier jour, passé l'horreur d'avoir découvert qu'il existait d'autres enfants, je m'assis spontanément au premier rang, pensant que ce mouvement serait crédité en ma faveur. L'institutrice nous distribua à chacun une feuille et un crayon à papier bien taillé (avec le recul, taillé avec une précision maniaque). Je commençais aussitôt à dessiner, croyant bien faire. J'étais même pressé de tirer à l'institutrice les mêmes cris d'extase qu'à mes grands-mères devant mes représentations de chevaux, voitures ou paysages avec fermes garnies d'animaux, ayant compris que les adultes les admiraient plus que les scènes guerrières. Ma spécialité était « le pique-nique familial », avec une 4L stupéfiante de réalisme, garée sous un pommier (je ne négligeais pas de faire les pommes). J'étais déjà en plein travail, et mes oreilles étaient prêtes à accueillir les compliments d'usage, lorsque j'entendis une gueulante terrifiante : « est-ce que j'ai dit de commencer ?». Je suppose qu'elle prit la feuille et la roula en boule, avant d'en plaquer une nouvelle, à la virginité menaçante, sur la table. De cet incident, je tirais un drame originel, une phobie de l'école, et un désenchantement vis-à-vis de la société en général. Quelques semaines plus tard, alors que, croyais-je, les choses s'étaient stabilisées, au cours d'une séance de peinture, je renversai le pot de flotte commun : un grand bocal empli à ras bord d'une eau grise, comme toujours lorsque plusieurs personnes peignent ensemble. Était-ce parce que, justement, c'était l'eau de la communauté, et que par conséquent, je nuisais à tous les petits enfants ? Était-ce parce que la bonne femme était enragée du fait que je me prenais non seulement pour Proust et Leiris, mais également pour Sartre enfant, avec ses grosses lunettes ? Je fus envoyé chez la directrice, pour une punition supposée mémorable. Moi qui m'attendais à trouver auprès d'une personne de pouvoir, une magnanimité éclairée, je ne fus pas déçu : elle me consigna sous son bureau pour le reste de l'après-midi. Je n'ai aucun souvenir de ce que j'y ai vu. Peut-être rien ? Mais c'est dire si à l'époque, on se souciait peu de sacraliser la peinture, le dessin, ou dieu sait quel éveil à la créativité. Il me fallut des années avant de trouver un peu de réconfort chez Reiser, Dubuffet ou David Hockney, et vengeance par contumace dans le *Ferdydurke* de Gombrowicz.

Une bien triste histoire ! Mais qui ne risque pas de se reproduire, avec le corps enseignant d'aujourd'hui, et tous ces parents —plus éclairés que jamais- qui veillent au grain.

JEAN-PHILIPPE DELHOMME

J'enviais Lucian d'avoir un père tel que moi : capable de surveiller,
tout en lisant un scénario et en écoutant du rock indépendant.

Je montais moi-même sur un poney, afin de montrer à Alexandre qu'il était grotesque d'avoir peur.

Je voulais faire voir à Saturnin que je pouvais jouer encore mieux que lui.

Je me laissais toujours pousser une demi-barbe avant d'aller au parc à jeux,
de façon à ne pas avoir l'air trop papa soft.

Ne trouvant aucune mention de mon roman dans les pages livres,
j'envoyais injustement promener Egon.

Je demande souvent à Mingus ce que ça fait d'avoir des parents branchés comme nous.

Les premiers temps, Mathias demandait à un assistant
de m'accompagner lorsque je sortais le bébé.

J'essayais de m'inventer une façon personnelle de soulever un vélo d'enfant.

Artistes nomades, il nous paraissait impensable que Josh ne soit pas associé
à tous les moments de notre vie professionnelle.

À deux ans, Rudolfo possédait plus de *mile-age* que la plupart
des exécutifs présents dans l'avion.

Nous apprenions à Augustus comment dire bonjour à la manière des gangs.

Lorsque Myrtille et moi entrons dans un magasin,
c'est toujours une véritable petite fête pour les vendeurs.

J'incitais Cléo à toucher les légumes afin que le marché soit aussi une expérience sensorielle.

Je n'achète jamais rien sans demander l'avis de Manon qui, à deux ans,
est déjà une styliste impitoyable.

Nous prîmes conscience qu'Otto nous traitait comme des prestataires de service.

Nous avions eu recours à un professionnel pour nous aider à nous séparer de notre enfant le matin.

Nous nous relayions à plusieurs papas et mamans pour goûter,
au moins une fois par semaine, les menus des tout-petits.

En tant que parents, nous avions pris sur nous de régler le problème
de la violence en cour de récréation.

Davantage que d'une éducation, c'était d'une reconstitution qu'il s'agissait.

Je prouvais à André-Marie que l'on peut parfaitement s'amuser sans se soucier du ridicule.

Dans la mesure où il ne nous dérange pas, nous ne voyons pas très bien
au nom de quelles conventions nous devrions brider notre petit Stelio.

Nous nous regroupions pour affronter l'angoisse des jours fériés.

Notre théorie était que nous arrêterions les joints lorsque les enfants seraient en âge de comprendre.

Je faisais en sorte de tout poétiser, jusqu'aux pigeons.

Nous voulions que Casper s'ouvre le plus tôt possible aux cultures de l'Autre.

Dans une exposition, j'exprime tout ce que je ressens
et insiste pour que Margot en fasse autant avec ses mots à elle.

Plutôt que de louer un clown ou un magicien, nous avons trouvé plus intéressant d'organiser l'anniversaire de Marcello dans un lieu d'art contemporain.

Persuadés que l'ennui rend créatif,
nous en organisions de petits workshops pour Célestin.

Face à un dispositif où le spectateur était mis en demeure de hurler, je m'éxécutais par crainte de contaminer Lou avec mes propres inhibitions.

Nous n'osions intervenir pour demander à Duncan d'abréger son spectacle.

De toute évidence, Anton se sentait provoqué par la démonstration de mes capacités d'adultes.

Nous ne savions que faire durant les colères de notre petit Leo.

Nous avions lu qu'il est important pour le bébé de voir celui qui le pousse.

Afin d'éviter tout sexisme dans le couple, nous laissions à Orlando le rôle du chef de famille.

Nous avions expliqué à Liam et Jarvis que la violence était interdite dans notre famille.

À peine introduits dans le cercle familial,
une poule et un lapin achetés sur les quais s'étaient révélés menaçants.

L'harmonie fut soudain brisée le jour où Noémien refusa de porter le jean APC
que nous lui avions acheté pour aller à un vernissage.

Notre famille était entièrement doublée par une équipe de psychanalystes.

Mes parents semblaient contester chacune de mes tentatives d'autorité sur mes enfants.

Adulte « non séparé », je sanglotais bruyamment lors des départs en colonie.

J'offris malgré moi une image de la précarité du Père dans une piscine à balles
où j'étais allé rechercher Arthur.

Nous tentions de faire comprendre à Mila qu'il ne fallait pas mépriser
les comédiens qui tournaient peu.

Nous avions dû expliquer à Gaston que certaines personnes âgées pouvaient être agressives.

Nous fûmes bien mal récompensés d'avoir voulu initier Alessandro à la générosité.

Nous étions sidérés par le niveau de grossièreté de ce que Constance écrivait sur MSN.

Je réalisais que les gens de télé, de marketing et de jeux vidéo s'étaient servis
de Michka pour envahir mon espace privé.

Nous soupçonnions Igor d'être un adolescent surdoué.

J'autorisai Simon à passer la nuit sur ses jeux en réseau, à condition qu'il regarde
un classique cinéphilique comme *Quatre aventures de Reinette et Mirabelle*, d'Éric Rohmer.

Soucieux de maintenir le dialogue avec Malcolm, nous avions acheté une chicha.

Collectionneur de rock, d'Arcade Fire à Waren Zevon, je ne comprenais pas que Linus ne ressente pas plus d'excitation à pratiquer la guitare électrique.

Je ne voyais pas en quoi le fait d'être père aurait dû me dissuader de m'habiller
en Stroke ou en Arctic Monkey comme mon fils.

Je saisissais tout moment propice pour expliquer à Julius -sans l'ennuyer-
que la vie est autre chose qu'un téléchargement gratuit.

JEAN-PHILIPPE DELHOMME est né en 1959. Dans les années 80, il mène une carrière d'illustrateur pour différents magazines français et étrangers, tels que le *New Yorker*, le *New York Times Magazine*, le *Sunday Times* ou *Glamour*. En 1989, il publie son premier album, *Polaroïds de jeunes filles*, aux éditions Albin Michel.

Dans les années 90, entre Londres et New York, il dessine pour des magazines et des campagnes publicitaires. En 1998, il crée une série de dessins sur « la déco » pour un magazine américain, qui devient la matière de son album *Le Drame de la déco*, publié au éditions Denoël en 2000. La même année, il publie un livre pour enfants, *Vacances sur une autre planète*. En 2001, paraît chez Denoël *Art contemporain*, un album consacré à la faune des artistes, galeristes et collectionneurs. Dans *La Chose littéraire*, en 2002, il se fait l'observateur aussi féroce que complice d'un petit monde qu'il connaît de l'intérieur : celui des écrivains et des critiques littéraires.

À partir de 1999, Jean-Philippe Delhomme se tourne vers l'écriture romanesque. *Mémoires d'un pitbull*, son premier roman, est vivement salué par la critique. En 2001, il publie *La Dilution de l'artiste*, roman satirique sur les milieux de l'art. *Comique de proximité*, son dernier roman paru en 2005, raconte les tribulations d'un jeune écrivain confidentiel aux côtés d'un comique grand public, poids lourd de l'audimat.

ACHEVÉ D'IMPRIMER EN SEPTEMBRE 2007,

SUR LES PRESSES DE L'IMPRIMERIE AMILCARE PIZZI, À MILAN

PHOTOGRAVURE : EDILOG

MISE-EN-PAGE : LES ASSOCIÉS RÉUNIS